Eine Idee von  ANDREA DAMI

Leo Lausemaus® ist ein eingetragenes Warenzeichen und erscheint im
Lingen Verlag, Brügelmannstraße 3, 50679 Köln
© 2017 der deutschen Ausgabe by Helmut Lingen Verlag GmbH
© 2017 Giunti Editore S.p.A., Milano-Firenze
Dami International, a brand of Giunti Publishing Group
Illustrationen: Marco Campanella
Text: Anna Casalis
Text für die deutsche Ausgabe: Frieda Böhm

49624/2

www.lingenkids.de

Printed in EU

Leo Lausemaus

trödelt mal wieder

Illustrationen von

Marco Campanella

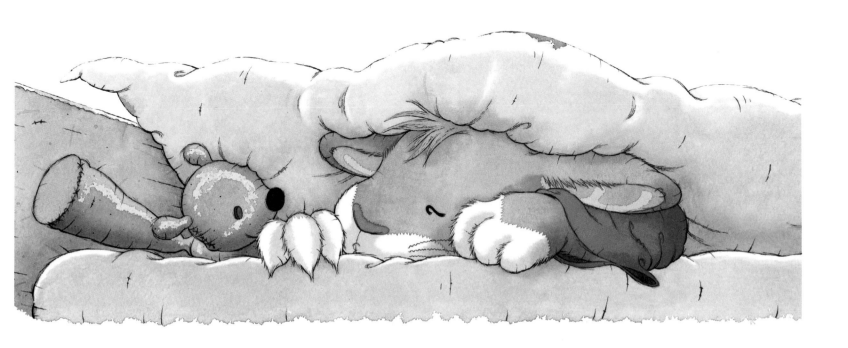

Nanu, heute will der kleine Leo Lausemaus wohl gar nicht aufstehen. Ganz eingekuschelt liegt er immer noch mit Teddy in seinem Bettchen …
Doch schon weckt ihn die Mama: „Guten Morgen, Leo! Aufwachen! Es ist Zeit aufzustehen. Der Kindergarten wartet auf dich!"
„Gleich Mama …", murmelt Leo ganz verschlafen.
„Komm, Leo, das Frühstück ist bald fertig!", verspricht die Mama und bittet: „Nur nicht wieder einschlafen …"

Die Mama ist in der Küche und bereitet das Frühstück zu. Ob die kleine Lausemaus jetzt wohl aufsteht?

Aber nein, gerade erzählt Leo noch von seinem schönen Traum: „Oh, Teddy, ich habe so schön von jeder Menge Spielsachen geträumt. Ich bin noch so müde und mag überhaupt nicht aufstehen … komm, Teddy, lass uns noch etwas weiterschlafen …"

Nicht doch, du Lausemaus, du solltest aufstehen.
Das findet wohl auch die Mama, denn sie ruft
schon viel lauter: „Nun steh endlich auf, Leo!
Das Frühstück ist längst fertig und du wirst zu
spät zu deinem Ausflug kommen."
Stimmt, das hatte Leo Lausemaus fast vergessen.
Heute macht er einen Ausflug mit dem
Kindergarten zum Abenteuerspielplatz.
Darauf freut sich Leo schon so lange. Ob er
das wohl hört, wo er sich doch unter sein
Kopfkissen gekuschelt hat?

Na endlich! Leo ist gewaschen und angezogen. Schnell nimmt auch er am Frühstückstisch Platz und möchte am liebsten einen Pfannkuchen, aber dafür ist es schon viel zu spät. „Iss doch das Müsli, das magst du doch auch gerne", sagt die Mama. „Und beeil dich. Wir kommen sonst wirklich zu spät."

Lili trinkt noch ihr Fläschchen, da verabschiedet sich schon der Papa, weil er nicht zu spät zur Arbeit kommen will: „Habt einen schönen Tag, meine Lieben!"

Nur Leo Lausemaus trödelt wieder, schließlich muss Teddy ja auch noch gefüttert werden.

„Ich putze nur noch schnell meine Zähne, Mama, dann können wir los!", beteuert Leo. Jedoch in seinem Zimmer angekommen, entdeckt er seine Lieblings-Ritterfigur in der Ecke.

„Guck mal, Teddy! Wie kommt denn der Ritter hierher? Der gehört doch in die Ritterburg", meint Leo und, in ein spannendes Ritterspiel vertieft, ruft er: „Ich kämpfe gegen den Drachen, ich bin der tapferste Ritter weit und breit!" Das hat der Mama gerade noch gefehlt. Ungeduldig ruft sie: „Leooo, wo bleibst du denn? Denk an deinen Ausflug."

Geschafft, alle sind auf dem Weg zum Kindergarten. Die Mama schiebt die kleine Lili im Buggy und kommt schnell voran. Nur Leo bleibt immer wieder stehen. Im Spielzeugladen gibt es besonders viele interessante Dinge zu entdecken. „Sieh mal, Mama, den Ritter da drüben, den habe ich noch nicht!"

Aber die Mama ist in Eile: „Ja, Leo, ich schaue ihn mir ein anderes Mal an, heute haben wir keine Zeit dafür. Lili muss noch in die Kinderkrippe gebracht werden und dann will auch ich schnell zur Arbeit."

Am Kindergarten steht bereits der Ausflugsbus. Leo ist der Letzte und alle warten ungeduldig auf ihn. „Da bist du ja endlich", ruft die Kindergärtnerin. Leos Mama erklärt das Zuspätkommen: „Leo ist heute Morgen nicht der Schnellste." Und auch Leo wird auf einmal klar, dass es nicht schön ist, wenn alle auf ihn warten müssen. „Entschuldigung …", murmelt er verlegen.

Die Kindergärtnerin klatscht in die Hände und ruft: „Nun aber los, alle einsteigen!" Schon ist Leo im Bus verschwunden. Gerade da ruft die Mama ihm noch etwas zu. Na, ob Leo das gehört hat?

Später am Nachmittag sind die Kinder vom Ausflug zurück. Sie durften den ganzen Tag auf einem riesigen Abenteuerspielplatz herumtollen und Leo hat sich mit seinen Freunden eine eigene Hütte gebaut.

Nach und nach werden alle Kinder abgeholt, nur die kleine Lausemaus nicht. „Tschüss, Leo!", verabschieden sich seine Freunde. „Morgen bauen wir uns hier auch so eine große Hütte. Aber komm nicht wieder zu spät!"

„Nein, mach ich nicht. Tschüss ... Wo ist denn nur meine Mama?", fragt Leo traurig. „Hat sie mich etwa vergessen?"

Oje, jetzt ist Leo ganz allein. All die anderen Kinder sind schon abgeholt worden. Traurig sitzt er mit Teddy im Kindergarten und wartet auf die Mama. Wieso kommt sie nicht? Er hat ihr doch so viel zu erzählen. Natürlich ist die Kindergärtnerin noch da und erklärt ihm: „Deine Mama kommt etwas später. Sie hat eine Nachricht auf dem Anrufbeantworter hinterlassen."
Dem kleinen Leo kann man die Erleichterung förmlich ansehen: „Dann hat sie mich also nicht vergessen?"
„Nein, keine Angst", tröstet ihn die Kindergärtnerin. „Sie wird schon bald kommen. Und ich bleibe auch so lange, bis sie hier ist."

Schnief

Endlich ist die Mama da und bedankt sich für das Warten. Die Kindergärtnerin erzählt noch, was Leo heute alles gemacht hat: „Das Dach der Hütte hat er fast ganz alleine gebaut!" Für einen Moment vergisst Leo, dass er über das Zuspätkommen der Mama gar nicht erfreut ist und ruft: „Ja, ich werde mal Dachbauer!" Die Mama wundert sich: „Was ist denn ein Dachbauer?" „Na jemand, der das Dach für ein Haus baut!", erklärt Leo munter. „Ah, du meinst einen Zimmermann", stellt die Kindergärtnerin fest. „Das ist eine gute Idee, Leo! Dann bis morgen!", verabschiedet sich die Kindergärtnerin und schließt die Tür zu.

Jetzt will die Mama ihre kleine Lausemaus richtig begrüßen und in die Arme schließen. Doch Leo verschränkt seine Pfoten und schmollt: „Du hast getrödelt, Mama!"

„Ich habe nicht getrödelt, Leo", erklärt die Mama.
„Ich musste länger arbeiten, weil ich heute Morgen zu spät gekommen bin."

Leo wird ganz nachdenklich: „Weil ich so getrödelt habe …?"

„Ganz genau, meine kleine Lausemaus", stimmt die Mama zu. „Aber jetzt sollten wir uns beeilen. Papa und Lili warten bestimmt schon auf uns."

Am Abend sitzen Mama und Papa gemütlich im Wohnzimmer. Da kommt Leo in seinem Nachthemdchen herein.

„Leo, willst du schon schlafen gehen?", fragt der Papa verwundert.

„Ja, dann bin ich morgen eher wach und kann all die Dinge machen, für die es heute schon zu spät war."

Der Papa lacht: „Ist er nicht eine kluge Lausemaus?"

Und die Mama meint: „Ja, das ist er und darum haben wir dich auch so lieb, kleiner Leo!"

Entdecke die Welt von Leo Lausemaus

hat schlechte Laune
ISBN 978-3-937490-21-2

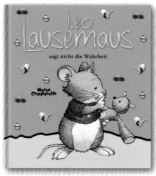

sagt nicht die Wahrheit
ISBN 978-3-937490-25-0

allein bei den Großeltern
ISBN 978-3-937490-26-7

will nicht in den Kindergarten
ISBN 978-3-937490-24-3

will nicht schlafen
ISBN 978-3-937490-20-5

hat Geburtstag
ISBN 978-3-938323-89-2

wünscht sich ein Geschwisterchen
ISBN 978-3-937490-28-1

will nicht essen
ISBN 978-3-937490-22-9

Lili geht aufs Töpfchen
ISBN 978-3-941118-30-0

Mama geht zur Arbeit
ISBN 978-3-937490-27-4

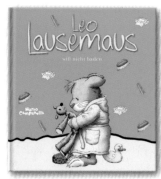

will nicht baden
ISBN 978-3-942453-53-0

trödelt mal wieder
ISBN 978-3-938323-94-6

will nicht teilen
ISBN 978-3-941118-59-1

lernt schwimmen
ISBN 978-3-941118-75-1

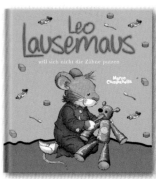

will sich nicht die Zähne putzen
ISBN 978-3-938323-18-2

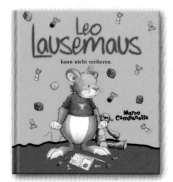

kann nicht verlieren
ISBN 978-3-942453-21-9

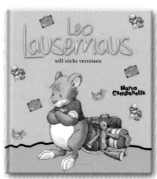

will nicht verreisen
ISBN 978-3-942453-97-4

will nicht aufräumen
ISBN 978-3-942453-98-1

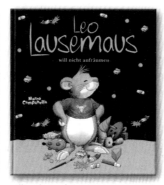

will alles allein machen
ISBN 978-3-943390-83-4

NEU
ab März
2018

... überall im Handel und unter www.lingenkids.de